# Jamais vu un cadeau aussi nul !

écrit par Gérard Moncomble
illustré par Frédéric Pillot

HATIER
POCHE

# 1
# Le truc qui fait vlouf

Je déteste qu'on crie dans mes oreilles. Et ce matin, ils sont trois à hurler :
– Bon anniversaire, Thérèse!

Très gentil, merci. Mais je me méfie : l'an dernier, ils m'ont offert un lapin en peluche.
– Pour toi ! Cadeau ! dit Suzanne en montrant la porte du jardin.

Il y a un trou au bas de la porte.
Un trou carré avec un truc en plastique coincé à l'intérieur.
– Voilà ta chatière, explique papa.
Ma *quoi*?

Papa pousse le milieu du truc,
qui s'ouvre, VLOUF !
Puis se referme, VLAF !
– Avec ça, tu sors et tu rentres
toute seule !
VLOUF, je sors. VLAF, je rentre.
Vraiment idiot, comme cadeau.

– Essaie-la, s'il te plaît! supplie Suzanne.
Me faufiler dans ce trou riquiqui? Non merci! J'ai l'air d'une souris?

Moi, j’aime passer par la porte,
comme tout le monde.
Ou bien par la fenêtre.
Et je veux qu’on m’ouvre.
Un miaouuu pour sortir,
un meaoooo pour rentrer.
C’est compliqué, ça?

Je fais donc demi tour.
Papa grogne, l'air têtu :
– Je te préviens : soit tu passes par là, soit tu ne sors plus.

C'est mon anniversaire ou c'est la guerre?

2

## Trois canailles

C’est la guerre!
– Tu finiras bien par craquer!
rugit papa.
Il peut toujours rêver, lui! Je me niche dans mon panier et attends la suite du programme.

Maman installe mon assiette de croquettes dehors. Ridicule! On ne m'achète pas avec une dînette!

Alors papa a une idée horrible :
il enlève ma caisse.
Matoucornette!
Je ne peux pas faire pipi
sur la moquette!

Ils ont gagné. D'accord, je sors.
Je me glisse dans l'affreux boyau.
Mes poils se hérissent,
mes moustaches frémissent.

Vite, un pipi, puis
je réfléchis.
Si j'invitais
des amis ?

Mathieu le Pouilleux,
Croque-Poubelle
et Pépé la Sardine!
Des terreurs, des teigneux.
Papa veut du VLOUF? Il en aura!
Quelques miaouuuuuu,
et les canailles sont là.

– Faites comme chez vous,
les filous!
VLOUF! VLOUF! VLOUF!
Trois fois claque le plastique.

Je les connais, ces trois lascars.
Ils vont bondir sur les armoires!
Farfouiller les placards, les tiroirs!
Dans une minute, c'est le bazar!

Papa et maman sont comme fous!
Ils courent après les matous,
qui griffent, crachent, grimpent
aux rideaux. Maman les chasse
à coup de balai, papa leur balance
un grand seau d’eau.

Moi, je me régale du spectacle.
Beau travail, les canailles!

3

## Le truc se détraque

Ils sont partis. Maman dit :
– Ah! Les bandits!
Et papa peste.
Fin de la première partie.
Passons à la suite.

Je grimpe sur le mur et appelle
mon vieil ennemi : Lucien,
le chien du voisin. Un vaurien.
Le voilà qui déboule, couinant,
bavant, sautant, claquant du bec.

Un coup de griffes sur la truffe
et il devient furieux.

D’un bond, il franchit le mur
et se lance à mes trousses.
Trop lourd, Lucien!
Je me faufile
dans la chatière.
Il s’écrase sur la porte.
Trop gros, Lucien!

Il essaie de passer par le trou!
Trop bête, Lucien!
D’un coup de croc, il croque
le plastique et le craque.
Trop brutal, Lucien!

– Luuuucien! Viens ici, galopin!
hurle le voisin.
Lucien s'en va, vaincu.
Une fois de plus, il a perdu.

La chatière est en miettes.
Maman, papa et Suzanne
contemplent les morceaux
du cadeau.
– Tu crois qu'on peut la réparer?
dit Suzanne.
Maman ne répond pas. Ni papa.
Ils ont perdu, eux aussi.

Dans le silence, je lance un meaoooo! assourdissant. Puis je trottine vers la porte fermée. L’air de rien.

– Meaoooo! je répète.

Et Suzanne ouvre la porte.
Comme à une vraie personne.
Je suis Thérèse Miaou, oui ou non?

***As-tu une mémoire d'éléphant?***

***1.*** *Quels* ***bruits*** *fait l'horrible chatière?*

***2.*** *Qui sont mes* ***amis*** *matous?*

**2.** *De ces trois* ***popotins****, quel est celui du chien Lucien?*

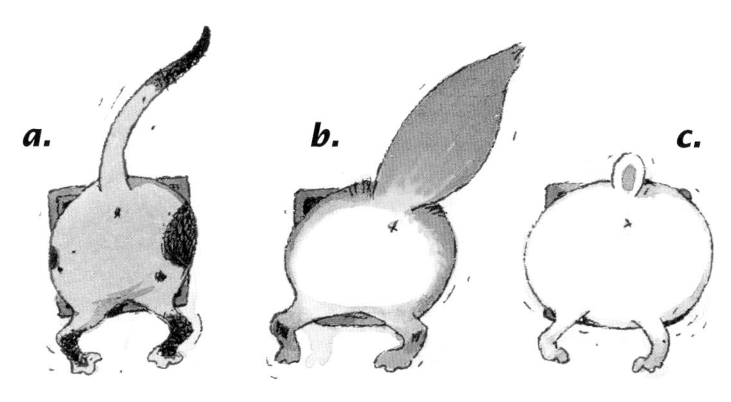


**3.** *Quand je* ***miaule*** *pour sortir, comment je fais?*

**meaoooo !**

***miaouuu!***

*miiiaou!*

**Solution** : **1.** Vlouf! Vlaf! **2.** a, b, d. **3.** a. **4.** miaouuu!

Salut! Moi, c'est **Thérèse**. La Thérèse en vrai, avec des poils et des moustaches. Je vis avec Gérard Moncomble et sa famille dans une grande maison à la campagne. J'ai des croquettes, un coussin et je dors toute la journée. Le bonheur, ça s'appelle.

Ça, c'est **Frédéric**, **Gérard** et moi. Le grand blond me dessine avec ses crayons et ses pinceaux. Le barbu raconte mes histoires. En plus, ils me caressent tout le temps.

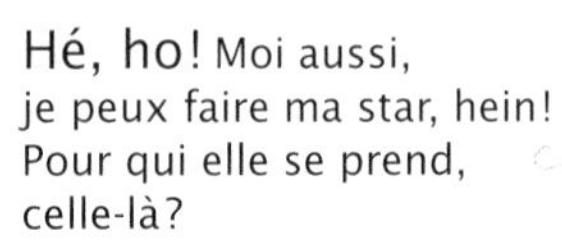

Hé, ho! Moi aussi, je peux faire ma star, hein! Pour qui elle se prend, celle-là?

HATIER
POCHE

**POUR DÉCOUVRIR :**

> **des fiches pédagogiques** élaborées par les enseignants qui ont testé les livres dans leur classe,

> **des jeux** pour les malins et les curieux,

> **les vidéos** des auteurs qui racontent leur histoire,

*rendez-vous sur*

www.hatierpoche.com

Responsable de la collection : Anne-Sophie Dreyfus
Direction artistique, création graphique et réalisation : DOUBLE, Paris

ISBN : 978-2-218-96976-8
ISSN : 2100-2843

Loi n° 49956 du 16 juillet 1949 sur les publications destinées à la jeunesse.

PAPIER À BASE DE FIBRES CERTIFIÉES

Hatier s'engage pour l'environnement en réduisant l'empreinte carbone de ses livres. Celle de cet exemplaire est de : 150 g éq. $CO_2$ Rendez-vous sur www.hatier-durable.fr

Achevé d'imprimer en France par Clerc
Dépôt légal : n°96976-8/03 - juin 2015